花

スキップ・ビート!

第28巻

仲村佳樹

この作品はフィクションです。実在の人物・団体・事件などにはいっさい関係ありません。

目次

スキップ・ビート！

スキップ・ビート!
ACT.164 バイオレンス ミッション
フェーズ8

――……外れた――……
大丈夫なの？
…あ
はいっ
え？

コレ 時々勝手に外れるんですよね
よろず屋さんで勝った安物だから
あ
なんだ そうなんだ
じゃあ別に大した意味は無いのね
え？
なんか昔から良くないイメージあるじゃない
そういうのが切れるとさ
何か不吉な事が起こる前兆じゃないかって
まさか

無いですよぉ〜〜〜〜っ
そんな不吉な事なんて!!
うふふふ
第一コレ切れてないですしっ
チョリッと止めガネが外れただけなのでっ
え？何何？チェーン切れちゃったの？
外れたんです!!
切れたんじゃなく!!
止めガネが!!
チョリッと!!
え？
何何？
止めガネ切れちゃったのー？
ネックレス？
外れたんです!!
切れる訳ないでしょ!!とめガネが!!
外れたんですよ!!
チョリッと!!
外れたんです!!止めガネは!!
はーずーれーたーだーけ
…
ザワザワ
ひいいいっ
わかったたっわかったからっそれ以上近寄らないでっ
お願い呪わないでええ
こわ〜いいい〜〜〜!!

…なんか妙にムキになるわね…
不吉な事なんか無いと言い切るわりに
…何か『切れる』と困る不安要素でもあるのかしら
…
…さあ…

…あぁ――――…
…もしかしたら
アッチの事かしら…
ざわ
ざわ
ざわ
ざわ

キャキュキュ キュッ
ヴォッ
ドッ
ギャ

キャルルルルル
ザッ

しーーーーん…
Dark moon
―月狩り―
―――――…
チャッ
のっそり
ジャリ

ポカーーーン……
…
…え…と…
…何かまずかったでしょうか…
はっ
え…っ
や…!?
か…っ監督…!?
はっ
は…っはいっ
OKですっ
…あ…
素晴らしいです!!完璧です!!

カメリハも今の感じでよろしくお願いします!!
ニッコリ
わかりました
じゃ　スタート地点へ戻ります
あ
敦賀君…っ
はい
次は尚之の車も入りますが運転はスタントマンがするのでうまく接触する前に止まってくれます
ですが絶対無理はしないで
少しでも不安を感じたら走行を停止して下さい
わかりました

敦賀君念のためマウスピースを……
あ　はい
えーと
それでは皆さんカメリハ行きます
お願いしま――す
ウォース!!
ワラ　ワラ
バタ　バタ
…
…どうよ。見た？今の
綺麗に車体回して止めるもんだなあ…

ドライの時の試運転が嘘の様な猛スピードでつっこんで来たのに…
緩衝壁もっと派手にふっ飛ばすかと…
クソ…格好良くていっそムカつくな
アイツは本当に素人なのか　イヤッもしかしたら過去にはプロの走り屋として名を馳せて…!!
イニシャルなんとかとか!!
スタントマンという概念は無いらしい。
…いや…
でも まぁあの様子なら
なんとか無事に
蓮も監督も納得するいいシーンが撮れそうなのかな
はい カットーー!!

カッ
キ〜〜〜ン
ああ…っ

留美ちゃんっ
上がって上がって!!
早く上がって!!
あぁあああ
わぁあああぁ
さっ
さ〜ぶ〜〜〜〜い!!
…だ…よね
〜〜〜〜
下旬とはいえ
まだ2月だもん
カクカクカク
留美ちゃん
早く車の中にっ
残念ながら
モロに凍っちゃってた
けど…
果たして
OKなの
かしら
でも それ顔に出しちゃ
いけないとなれば…
ちょっと同情するわ
放送春以降
ですからねェ…

もう一回(いっかい)。

マウスピース

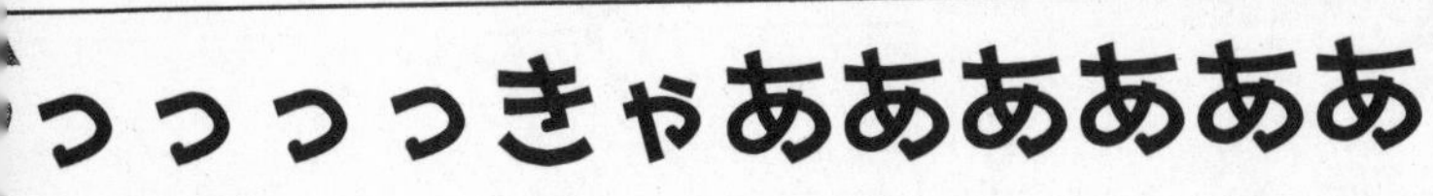
っっっっきゃああああああ

グオオオオオオ

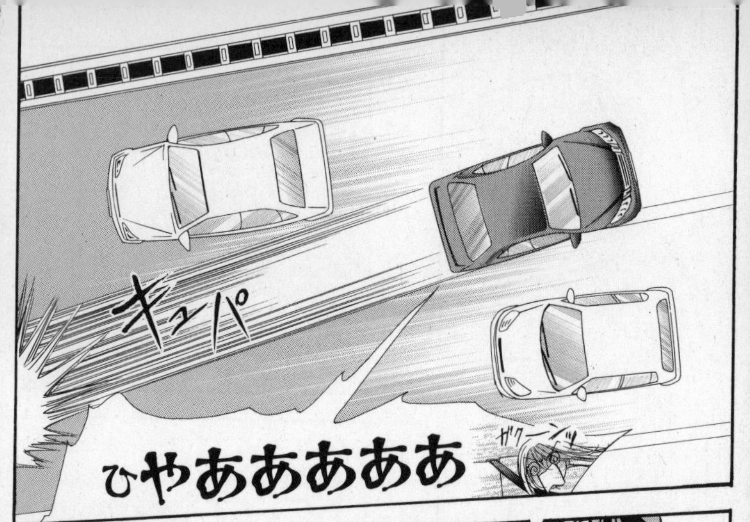
キュパ
ひやああああああ
ガクーンッ

ちら
ドヴッ

ノーブレーキか
やるな…
ガッ

ハッ
おばーちゃん
しんごー
あおなのに
わたっちゃダメ
なの？
もう少しね？
もうちょっとしたら
通してもらえる
からね

…あ…っ
ママだ…!!
キュ キュ キュ キュ キュ
…さて
いよいよだぜ英雄(ヒーロー)
ゴオオオオオ
キキュ キュ キュ キュ キュ
掴(つかま)えてみろ

来い!!

な……!?

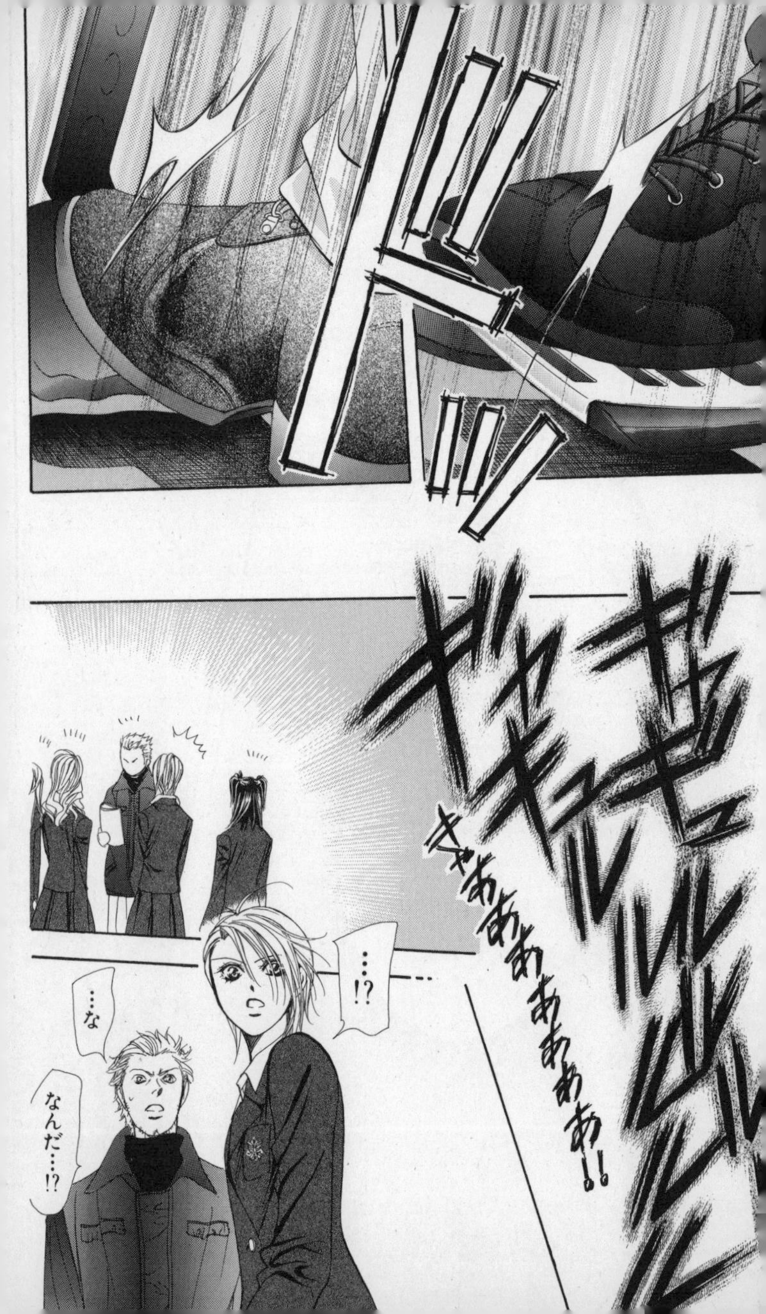
ドゴッ
ギャキュルルルルル
ぎゃあああああああ!!
…!?
…な
なんだ…!?

なんか尋常じゃないブレーキ音がしましたよね…
尋常じゃない多人数の悲鳴も聞こえました…
ここまで届くくらい
何か事故があったんじゃ……
そういえば
この近くでDARK MOONもロケしてるんですよね…？
それも…カーアクション…
…まさか…

ぎゅ…っ
…う———……
ちょっと見て来る——!!
ええ!?
ダメだ——!!
辛抱たまらん!!
ドアッ
かっ監督——!?
そんなっちょっと——!!
ズルイ——!!
自分だけ——!!
まごう事なき野次馬
うおーっ
わ…っ
私だって行きたいのに———!!
なんて自由な欲望ダンサーなの!!
うらやましい!!
ああっ私も躍らされてみたいっあんな風にっ
欲望に
じりじり
ハラハラ
そわそわ
はわはわ
…………

…行ってくれば？
えぇ…!?
気になるんなら
見てくればいいのよ

…で…
でも
今まだ仕事中で…
マルミー待ちの間にナツグループだけで演れるカット撮りの打ち合わせしてた
現場の最高責任者が率先して離脱してるんだもの
ここで京子さんが野次馬しに行ったからって

誰も怒る人なんか居ないと思うけど
ガックリ
だよね〜〜〜…
監督より先に帰って来てれば問題無いんじゃない？
あはは

…と

思うけど？

ペコ
『フェアリー』の単語でキョドった時並……
スパー
…なんか…
スゴイ血相変わってたね
京子ちゃん
ええ
顔色なんて土気色だったわね

そりゃ「事故」って思うと心配はすると思うけどさ

一度共演した役者の事であそこまで顔色って変えるもん?

もしかして京子ちゃんって特別仲が良いのかな

行って来ま——す!!
…
…あの子……
顔を土気色にして血相を変えてまで……
ん…?
近くでDARK MOONのロケやってるって聞いてから心なしかソワソワしてると思ったら
…好きだったんだ……
敦賀蓮
だまされた…一緒に芸居が恋人男は二の次とか言ってたクセに…
あんな
…
…あら?
じゃあ
何?
もしかして

ACT.164 バイオレンス ミッション フェーズ8／おわり

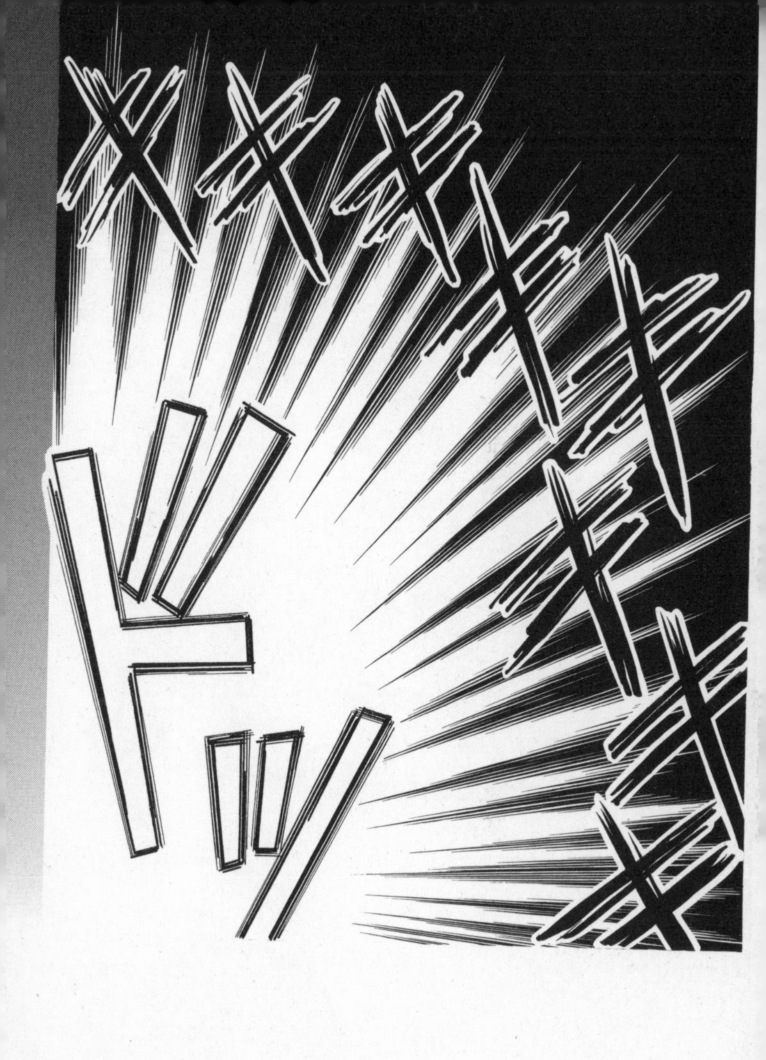
ドッ

スキップ・ビート!
ACT.165 バイオレンス ミッション フェーズ9

ダッ
Dark Moon

敦賀君――!!
大丈夫!?
チャッ
敦賀君っ

ケガはない!?
敦賀君!?
ザワ ザワ ザワ ザワー

…敦賀
…君…?

ザワ ザワ ザワ ザワ
すみません……っ

ザワ ザワ ザワ ザワ
本当に申し訳ございませんでした…っ
いえっおケガが無くて本当に良かったです
あ…でも…

念のため病院へ行かれた方が…
いえ…っもうそんな…
本当に大丈夫ですから…
ザワ ザワ

わたしも孫も腰を抜かしてヘタリ込んでしまっただけなので……
ざわ
ざわ
はーーーー
もうどうなるかと思ったよ～～～
ドキドキしたーっ
良かったねェ二人共無事で
それにしてもスゴかったなぁ
ざわ
ざわ
ギリで子供かわして二台で一体何回転したよ？
やー
さすがに回転数は覚えてないし
停止したのもバラバラだったけど
それまでがなんだかシンクロを見ている様だったよ
よくあんな一定の車間保ったまま合わせた様にグルグル回ったよな
タイミングちょっとズレたら絶対車体接触してたって
よほどドライバーの腕が良くないと無理だろ
アレ
はあ…っ

はぁっ
はぁっ
はぁっ

キョロ

…!!
あ…っ

緒方監督っ
…え…？
…そ…
それじゃあ…っ
その子供さんをよけた勢いでスリップしちゃっただけなんですね!?
ええ
大分回転もしましたけど
幸い車同士は接触もしていないので
タカ タカ
恐らく敦賀君も大事には至っていないと思いますが
…良かった…っ
…

…うーーん…
これが本当に京子さんなのかぁ――――…
…変わるなぁ～～～～…
女の子ってすごい……

五十嵐君っ

ありがとう…っ うまく敦賀君に合わせて回避してくれて…
おかげで助かりました…

ケガはないですか？
はい 俺は平気なんですが

ペコン
いえ… それが俺の仕事なので

…彼の様子が
え⁉

何かおかしいみたいです
…あ…っ
監督っ
どうしました!?
敦賀君は!?

いえっ それが……っ
ちょっと普通じゃなくて…
目も開いてるし意識はあるみたいなんですけど
こちらの呼びかけに全然応えてくれないんです
…なんか
何も見えてないし何も聞こえてないって感じで…

…あ…

敦賀さん
あの時
みたいな
瞳をしてる――
最初の体勢から
上体だけは
起こさせたのですが

もしかして動かさない方が良かったんでしょうか…!?
おろ おろ
頭を強く打っていたりして…!?
さあ…
それは検査をしてもらわないとわからないのですが…
サッ サッ
…
…敦賀君……?
──まるで
精気が無い
『抜け殻』という表現はよく聞くけれど
これは
比喩じゃ済まない

本当に
魂だけが
どこかへ飛んでしまっている様だ——…
つ…っ
ぞわ…っ
…っ
敦賀君…!!

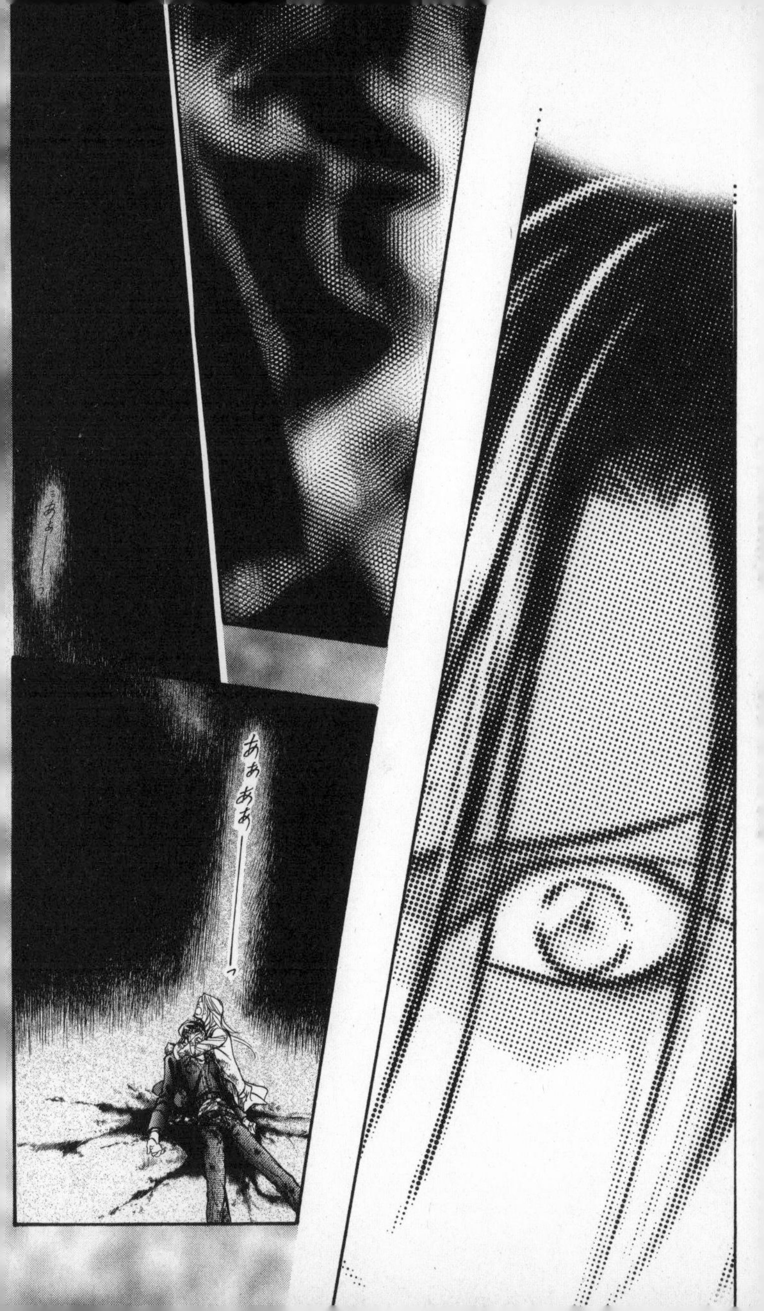
ああああ――っ
ああ――っ

うあああああっ
リックッ
嫌ぁあ
お願い
お願いだから
リック
死なないでーー!!

──────…止め
ないと────…
血…が……
リックの…血が
全部
流れて
しま────…

──冷たい
ジワ…
ジワ…
身体
が
凍って

いく

――――ウゴケ

ナイ――――――

ACT.165 バイオレンス ミッション フェーズ9/おわり

スキップ・ビート!
ACT.166 バイオレンス ミッション
フェーズ9.5

お？
何だ 君も来てたのかっ
あ…
さすがは未緒っ
関係者は顔パスだなっ
なーなー俺も入れてもらえる様にお願いしてっ
ざわ ざわ
すみません あの…勝手に現場を離れてしまって…
ざわ ざわ
ヤレヤレ
そりゃ縁の濃い共演者が事故ったって聞いたら心配でじっともしていられないだろう
しかも敦賀君主演だし同じ事務所だし

関係の無い俺ですらこうして駆けつけずにはいられなかったんだから
大丈夫だり
…はぁ…
あんたのはただの好奇心
叱られなかつたのは助かつたけど…
…不安だなぁ
……この監督…
…ところで敦賀君はどうだったんだ?
…あ
ザワ
ザワ
ザワ
ザワ
…実は
それが…
救急車を呼んで下さい
…!!
撮影は中止しますっ
…っ
監督…っ
敦賀さんは…
京子さん…
…ダメです

やっぱり反応がありません
どう考えてもこれは異常です
とにかく病院で検査してもらった方が賢明だと思います

……っ

…敦賀(つるが)
さん…？

――――――許さない

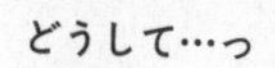

リックがこんな目に遭うのよッ!!

悪いのは全部アンタなのに…!!

アンタがいなければ
リックはこんな目に
遭わなかった…!!

アンタになんか
関わらなきゃ…!!

アンタになんか出会わ
なきゃ

リックは死なずに
済んだのよ!!

人殺し…っ

リックのかわりにアンタが死になさいよ!!
人殺し!!
――リックの

――かわりに――

俺が

死ねば

生きかえる

のか…？

リックが

それを

望んでる

から

こんなに

身体が

凍って

いく

のか――――……？
――…ああ―――――…
当然(とうぜん)
…そう…
だよな……

——なら

良い

かな

リックが

それを

望むなら——

俺は——

——…

もう――
…ぽお…

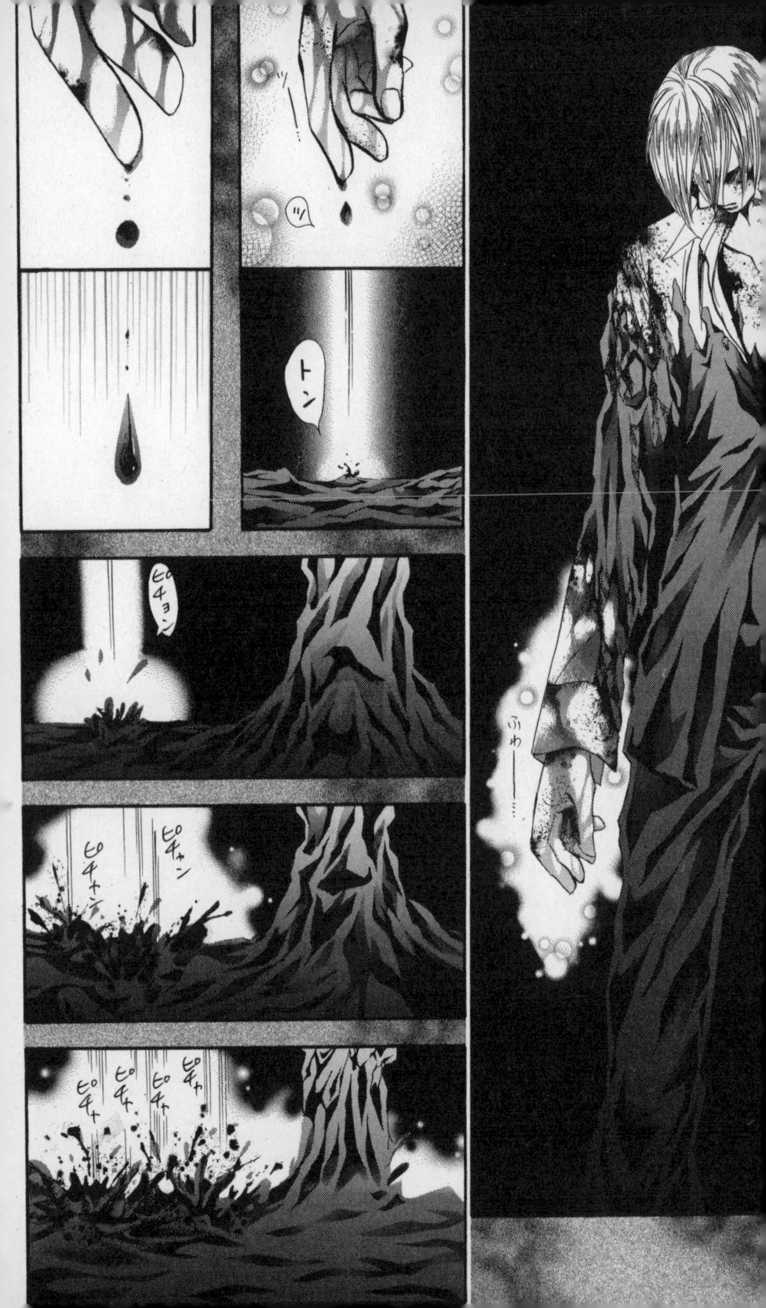
ふわ――……
ツ――……
ツ
トン
ピチョン
ピチャン
ピチャン
ピチャ
ピチャ
ピチャ
ピチャ

パシャ
パシャ
パシャ
パシャ
パシャ
パシャ
パシャパシャ

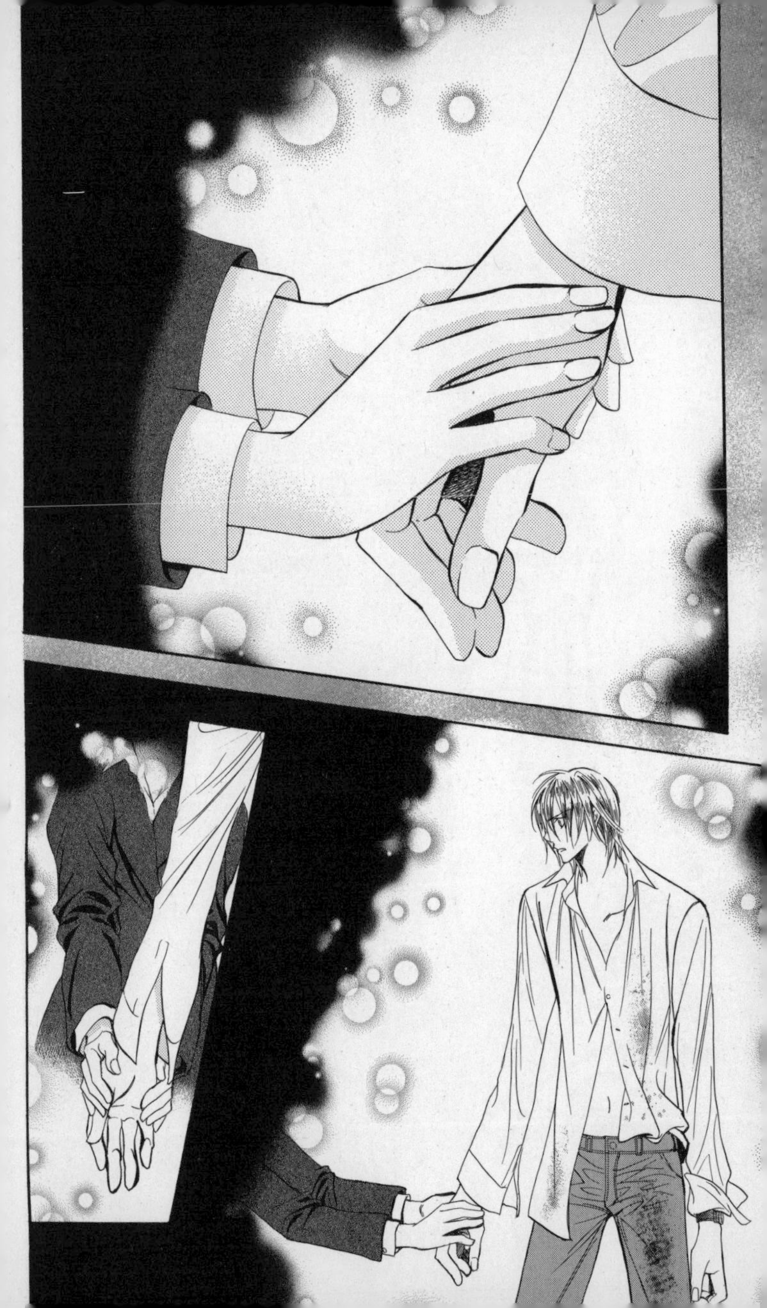

……っ
…敦賀(つるが)
さん…!?

………大丈夫ですか!?

…ざわ
…ざわ
ざわ
ざわ
…

ざわ
ざわ
ざわ
ざわ
…敦賀
さん…?
……

…聞(き)こえて
ますか…？
…私(わたし)の声(こえ)…

ザワ　ザワ　ザワ　ザワ

――…ん――…

ACT.166 バイオレンス ミッション フェーズ9.5／おわり

スキップ・ビート!
ACT.167 バイオレンス ミッション
フェーズ10

――イッソ
砕ケテ消エテシマオウカ――

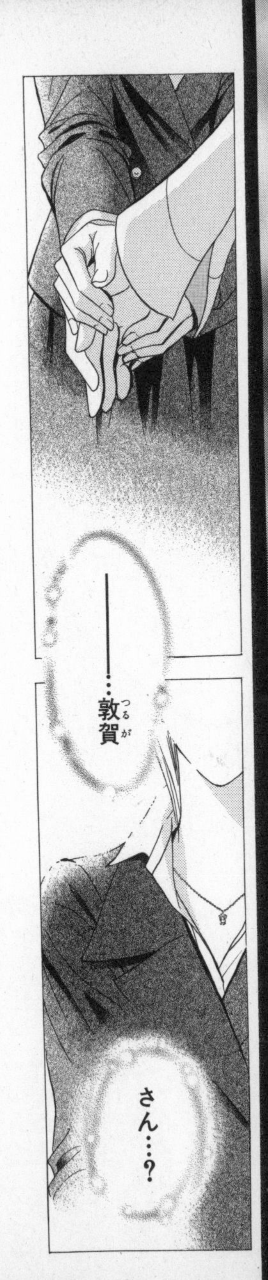
進む事も
戻る事も
叶わずに
身動き出来なく
なっていた俺を
暗い
暗い闇の底から
連れ出してくれたのは──
──…敦賀
さん…？

…聞こえて
ますか…？

…私の声――…

彼女(かのじょ)だった———…

……まさか——

今になって

……

・・・あの頃と同じ感覚に囚われると思っていなかった――……
〝――イッソ
枯レテ
消エテシマオウカ――〟
――あの娘はな
いわば魔除けだ
……あの時は
社長が
助けてくれた
お前が自力じゃ身動きできない状況に陥った時
彼女がそこからお前を連れ出してくれる

御守だ
最強のな――
…『御守』
――…
…もしかして…
こういう意味だったのか……
社長が俺にあの子をつけた理由は

初めから
食事の心配とかじゃなく
俺が
クオンの感情に囚われて動けなくなる事を危惧して
……
…
…無くはない
…な
さすがにDARK MOONでのカースタント・トラブルまでは予想もしてなかったと思うけど

ずっと封印して来た
『クオン』を解放しなければいけない事を社長は知っているから―――
B・Jを演る上で
俺がクオンの感情に引きずられて
帰って来られなくなるんじゃないかって
敦賀蓮側へ―――

敦賀君
!
!
お待たせしました
もう帰ってもいいそうです
…あ…
Electrocardiogram
心電図検査
——…本当にすみませんでした
撮影の進行を狂わせてしまって……
クス
…嫌ですね
そう何度も謝らないで下さい
僕としては敦賀君にケガがなかっただけでホッとしてるんですから
ホントに
もしや頭を強く打っていたりしてたんじゃって生きた心地がしませんでした
良かったです どこにも異常がなくて
関係者専用
…すみません
自分では視覚も聴覚も機能していなかった自覚が全然無くて
それだけショックが大きかったんですよ
医師もそう言ってたし
実生活であんな状況めったにある訳じゃないですからね

敦賀君なんて特に絶対プライベートで無茶な運転した事ないと思うし
……
撮影の事なら気にしないで下さい
道路の使用許可がおりればすぐに撮り直せますから
……
──って
本来なら何のためらいなく言ってあげたい所なんですけどね

──俺は
監督の意見に賛成だな
お前もいよいよカイン・ヒールとして映画の撮影に合流しないといけないし
進行によってはこのDARK MOON最終話の撮影が終わる前に…
何かあってからじゃ遅いから
危険なリスクは避けた方が良い
お前も

内心　少なからずそう思ってるんだろう？
……
緒方監督の提案に言葉を濁した
事　仕事に関しては特にはっきりモノを言うお前が
それも
『スタントマンを使う』なんてお前のポリシーには反する話だ
──考えさせて下さい…
今夜一晩……
……

…カー・スタントを嘗めていました
正直もう一度やるのは俺でも怖
ああ。まあこの際そういう事にしといてあげてもいいけどね。
不本意だけど。お前があの程度のトラブルで本気でビビるタマじゃないってわかってるから。
けど
どんな理由があるにせよ迷いがあるなら止めといた方がいい
――失敗は
必ずするものだからな

精神が安定していないと
いかな業界の『達人』でも誰だって――
――…て…
『達人』って何だ……
ガチャン
達人と呼ばれる人々と並列して喩えられるなんて
一体 社さんの中で俺はどれ程のドライビングテクニックの持ち主になっているんだ…
『――失敗は必ずするものだからな』
別に

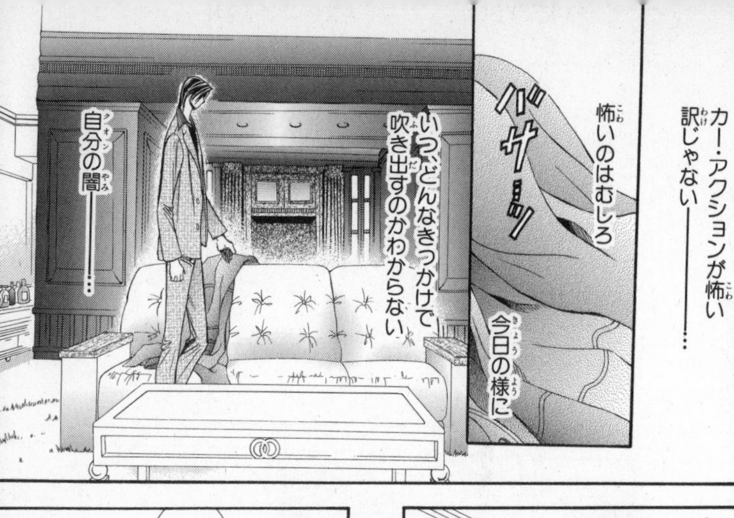
カー・アクションが怖い訳じゃない――…
怖いのはむしろ
バサ…ッ
今日の様に
いつ、どんなきっかけで吹き出すのかわからない
自分の闇――…

カタ…
敦賀蓮として
生活してきて
これまで
『クオン』の感情に翻弄されるなんて事一度もなかったのに――…
やっぱり今回
B・Jとまではいかないまでも
カイン・ヒールを演るためにかなりのクオンの闇部分を呼び醒まさせたからか…
敦賀蓮に戻る時
しっかり気持ちは切り換えて

『クオン』に蓋をしたつもりだったのに
…その蓋が
ふいの衝撃でズレてしまった…
確実に
以前程固く閉ざす事ができていない……
──…しかも
無自覚に覚醒したクオンを自力で制御できない事態が起こっている──…
グシャ
……っ
──…自信が
無い───…
次に何かあった時
ちゃんと自覚できるのか
制御できるのか
暴走する前に

封印が解け
勝手に溢れ出す

自分の闇を——…

…なんだか似た様な事を考えた記憶が前にもあるぞ……？

アレ…たしか…

ポヨン…

極悪非道

闇ブローカー

…あ…

そうだ…確か社長と話をした後だ…

最上さんを…『セツ』を俺の御守として続投するかどうかで——…

…うん…？

——あの子がそばにいると

忘れてしまいそうになるんです…

俺が

忘れては生きていけないものを——…

俺にとったら
両方
ググッ
重大なんだ――
それでも

どちらか一方を
選ばないといけないと
したら――…
ヴヴ――ッ
カタ カタ カタ カタ カタ
最上さん
090XXXXXXXX
ヴヴ――ッ
カタ カタ カタ カタ
ヴヴ――ッ
カタ カタ カタ カタ
ヴヴ――ッ
…ヴヴ――ッ

ヴーーッ
カタカタ
カタカタ
ヴーーッ
ギリ…
ヴー
ヴーッ

――それって
日本語で言う
『ギリダテ』か？
同情か？
それとも

ふる
―――…違う…
…そんなんじゃない…
…違う
けど…
…ごめん…
謝るな

いつも言ってるだろう
俺は
自分の人生を自分のために生きられない奴が大嫌いだ
時間は無限じゃないんだよ
立ち止まって悩む暇があったらまず動け
俺に悪いと思うなら

――立て
クオン

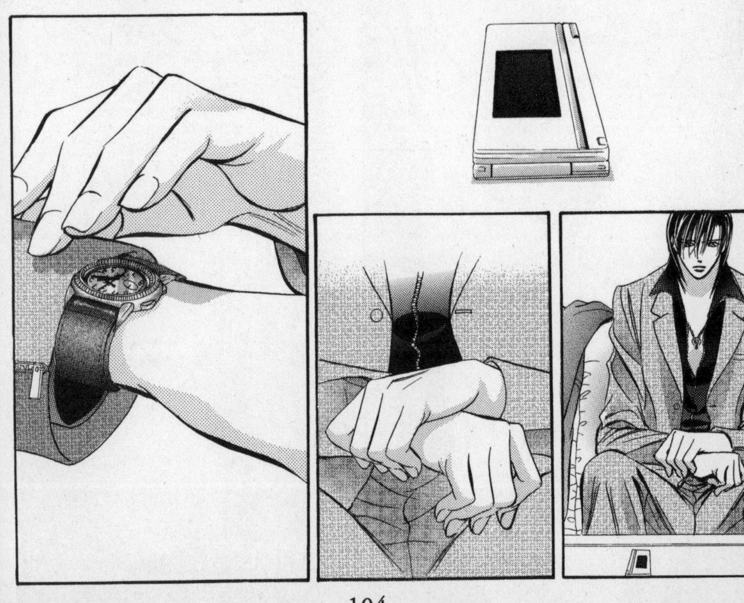

パタンッ
…う――ん…
パカ
あ～～～～…
う～ん
いやいや…
パタンッ
やっぱりやめよう
さっき出なかったし…
もしかしたら寝ちゃってるのかもしれないじゃない
鎮静剤とかそんな感じの薬で
起こしちゃ迷惑…
は…
…
…ま…まさか……

病院で容態が急変して入院してるとか……!?
でも留守録機能が解除されてたような……?
もしそのまま入院とかならオンのままだよね…
あら?
はっ
はっ
…も…っもしや…っ
ひっそりどこかで独り倒れていたり……!!
ロンリー敦賀さん
…や…っ
社さん!!
社さんが病院へつきそったはず!!
一体敦賀さんはどうなったんですか社さん!!!!
バッ
ギブミー敦賀ニュース!!
敦賀速報!!!
ぬ゛ぬ゛ーーっっ
ビクッ
!!!

あわ
あわ
ぬ゛ーっ
着信
Calling
敦賀さん
ぬ゛ーっ

ACT.167 バイオレンス ミッション フェーズ10／おわり

スキップ・ビート!
ACT.168 バイオレンス ミッション
フェーズ10.5

思わず　包み込んでいた

敦賀さんの手が

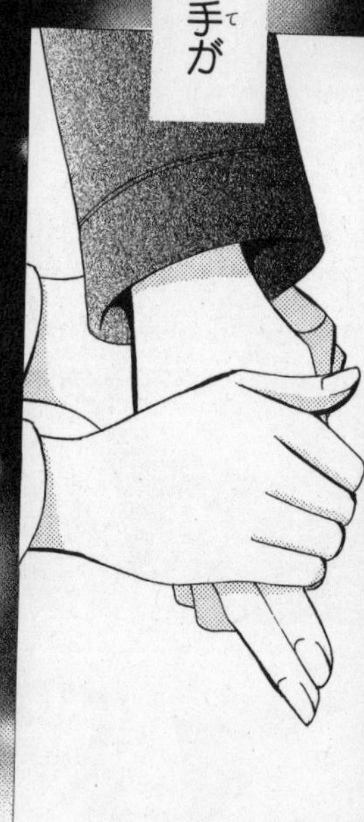

あまりにも冷たくて

何故

私はこんな事に
ーーー
敦賀さんとお買い物。
inセレブ向けスーパー
う〜〜〜ん
品物が…
普通のスーパーより安くても2倍高い…
ドキドキ
ハラハラ
ソワソワ
固
どっちが良い鶏肉なのかさっぱりわからないいな
なんだかすごく落ちつかない…
もう何も見ないでおこう
……

まあ高額い方が良い品なんだろう
間違いなさそうだし
いいか　高級品で
ひぃ!!
なんて絵に描いた様なセレブ思考!!
ぽぇ
つ…っ
敦賀さん…っ
さささざしでがましいようですが
ブランドを考慮せず質の善し悪しで言うなら　そちらの安い方が鮮度が高く良い品でお買い得です!!
え？
安い方なのに？
ぶんぶん
安くても!!
何でわかる？
よりハリ・ツヤが良く色味も光沢も良いからです!!
人間と同じで若い子程見た目がムチプリツルンとしてるんです!!
皮がついてれば鳥肌具合も快活!!
…ふ〜〜ん…？
やっぱり
両方同じに見える…
まあいいか。
じゃこっちで
どうせなら新鮮な方が良いよな
安くても高くても味の違いなんかわからないし
いそいそ
…っていうか…庶民の私からすれば最早どっちでも同じなんですけどね
……
安い方も十分高いのですよ

ガサ
ガサ
ありがとうございました〜
カッ
コッ
スィ
ピ
ピッ
ピ
ピ
ピ
ピ
ガチャッ
カッ
コッ
カツ
コツ

…どうぞ?
※敦賀さんのマンションと高級スーパーは地下でつながっています。
…はい…
…
——何故
私がこんな事に——…
只今夜11時
その理由は
少し時間を遡る

ぬ゛
着信
Calling
敦賀さん
敦賀さん

ピッ
…はい…
最上(もがみ)です
あ

ごめん
さっき
電話くれてたみたいなのに出られなくて
いえ
大丈夫です
こちらこそすみません
あ…
…あの…
もしかして…まだ
病院だったりしますか…？
ううん
大丈夫家に帰ってるよ
検査の結果もどこも何とも無かったから
本当ですか？
良かった…
心配かけたね…
いえ…
そんな…
最上さんには

冷えた身体に体温を直接分けてもらえて何てお礼を言っていいのか…
身体って大雑把に統括しないで下さい!!!
手だけでしょ!!
なんでそんなもってまわったいかがわしい言いまわしを…!!
それに何です!!たかが手を温めてただけで大袈裟に!!!
月並みに『ありがとう』でいいじゃないですか!!
ああそれはそうだね
確かに確かに
ごめんごめん
ありがとう
クス
ぬう〜…
〜〜〜っっ
べ…別に……っ
そんな改めてお礼を言われる程では……
私はただ…敦賀さんの手があまりにも冷たかったから…

寒いんじゃないかと…思って…
…うん…
寒かった…
…すごく…
実は…俺今君にお願いしたい事が一つあるんだけど…
はい?
──最上さん
……
…何でしょう…?
うん
まあ
至極簡単なんだけどね…
──急に

マウイオムライスが食べたいなぁ
と思って
――はい…？
マウ…？
――…調べましたとも…
それはもう猛烈な勢いで
敦賀さんが迎えに来てくれるまでの間に
パチ

マウイのオムライスとやらを!!
食べた事も見た事もないわっ　そんなのがあるって初めて知ったわよっ
でも　どんなに捜してもまだレシピが見つかんないのよ~~~~!!!
カチカチ　カチ　カチ
やっと見つけた画像はマウイの日本食専門店が出してるオムライスだったしっ
一体どんななの!?マウイのオムライス~~~~!!
もしかして日本のとは違ってトロピカルな感じなの!?
フルーツのソースがかかってるとか!?
でも敦賀さんが買ってきた材料　普通にチキンオムライスのものだった…
やミ?　でもそういえば冷凍エビも買ってた…アレ!?
お待たせ最上さん
ビクッ
!!
パタッ
そろそろ始めようか
……っ
…は…
あ　はい~~~~……

ゴロン
バラ
ボロ

はいい――――!!??
料理人 敦賀氏
ダムダムダムッ
ダムダムッ
ざざ
あ…っ
貴方が作るんですか――!!??
何故いきなりコーヒー出されるのかと思ったら!!
…っ…っ
ガタッ
ワ…ッ野生Do……!!!
……っ
何？
ぶちぶち
ボトボト
つつつつ敦賀さん…っ
あああああの…っあの…っ
おろおろ
え？
ブチャリッ
鶏肉
あ……っ
あの…

私は一体
何をお手伝いすれば…
私に『食べたい』ってリクエストする以上は私が作るものだと……っ
ん？
ああ
最上さんの手を借りたいのはもう少し後だから
ザラッ
冷凍エビ&鶏肉&野菜
&ご飯
ボタッ
ええ!!!
ぜ…っ全部一度に……!!??
それまで座って待っててて？
きゃあああああ!!
黄砂!! 黄砂で料理が霞んでます!! 敦賀さん!!
塩・こしょう
ガクブル
バッザ
ザ
ジャッ
ジャッ
ダ…っダイナミック!!!
ああ調味料入れすぎたか。ご飯入れ足せば大丈夫だろ
ドザッ
ザザッ
ザッ
一体何人前!!
ボタ
ボタ
バタ
バタ
ボタ
ご飯増やしたから卵も多めに
ガガガガガ
ザザ
ザッ
多すぎ!! 多すぎです!! 何を包むつもりなんですか!!!
そしてほとんどスクランブル!!

よし。
どっしり
できた。
時折ちらちら確認できる皿
ああ
以前作った時よりは遥かに上手くできた
さすが二度目ともなると手慣れるもんだな
ガクゼン…
………
なんだかすごく力技….
卵：包んだというか押し固めたというか。
にゅ
はい
さて
それじゃあいよいよ最上さんに手伝ってもらおうかな
…は…

…はい……？
オムライスに
ケチャップ…
…とくれば……？
にゅうるるるるるる
る。
ナイス
8の字
たいへん大きいね
敦賀氏のご要望
『俺のラッキーナンバー
数字の8』
…できました…
うん
完璧。
さて

それじゃあ やっつけようか
サッサ
くつろげるからリビングの方にしよう
——…!!
…敦賀さん ……
すみません…
…あの… もしかして私…
コレだけのために呼ばれたのでしょうか?
そんなバカな
どこの世界に夜も遅くソレだけのために人を呼びつける人間が?
実際コレしかやらせてもらってませんが…!!??
さー 早く
温かいうちにこの怪物を攻略してしまおう
怪物って
自分で作っておいて…
そりゃ否定はしませんが……
……

……敦賀さん――……
やっぱり
何かおかしい――…
…そもそも
敦賀さん自ら料理をする事が驚愕以前に
何かを『食べたい』なんて言い出す事自体が異常なのよ…

…『異常』───…
───…もしかして───…
カースタントでのトラブルが
まだ
尾を引いて───…
…否定はできないよね……
だって
きっと
こわかったのよ
あんな風に
全ての五感機能が停止して
全身の血の気が一気に引くくらい───…
…私なら怖い…
怖くて…
多分───…
ちら

…じ…
ドキッ
!!!
!!??
…は
……!!??
食べないのか？
あ
もしかしてオムライス嫌い？
え…!?
いえ…!!
そんな!!
オムライスは大好きです!!
子供の頃から最上大好物産の専務です!!
ちなみに社長は目玉焼きハンバーグ
ちょっと…
考え事をしてしまってて
すみませんっ
遠慮なくいただかせて頂きます!!
カチャン
ぷりっ
卵層
有り得ない音
い
いただきますっ

はぐっ
ごむもご
サーー…
ーーーくあ
怪物…!!!
ギャオオオオ
オオ 食感
味
どぉ?
ビクッ!!
!!!!!

…………ううううううう
…
…お…
…おいしいです…
え？
お
おいしいで
何？

〜〜〜〜〜お…
不幸の杖
おりじなりてぃに富んでいてとても…っふぁんたじっくだと思いますぐ……!!
カタタタタタタタ
コトトトトト
ばぁーーっ
ぶふっ
…!?
くっくっくっくっ
無理に誉めなくても
正直に『マズイ』って言っていいのに
言える訳ないじゃないですか!!
…っ
先輩の手料理なのに!!
…そんな
クス クス
だいたいお世辞にもおいしい訳ないんだから

こんな凶悪にマズくなる様に作った料理。
!!!?
…
そ…それは…
つまり
わざとマズ…おいしくなくなるように作ったと…
…や…？
まぁほぼ実力みたいなものだけどね
カツ カツ
でもさすがにあまり料理に馴染みがない俺でも
極力食べられるものを作るつもりなら色々調べるし努力もするし
ここまで破壊的なものは作らないと思うよ
ぎっちゃり
昔わからないクセに勢いで作ったままの手順だからねコレ。
そんな一度にたくさん…っ
ああ
がぶり

……んん!!??

…マウ…?

マウイ
オムライスとは

単に『マズイオムライス』の事でした——
どうやら
口に入れたもののなかなか飲み下す事ができないまま
思わず発する『マズイ』が『マウイ』になる事から その名がついたそう——
第一オムライスって日本で生まれた料理だよ？
マウイに日本のオムライスしかないのは当然だよ
それをむこうでアレンジしてオリジナルオムライス作ってたらわからないけど
…ハワイのロコモコみたいなのがあるのかと思ったんですもの……
——と
私達はオムライス談義を繰り広げながら

敦賀さんの作った『マウイ』オムライスをひたすら食べた
グルッタリ……
……マウイ……

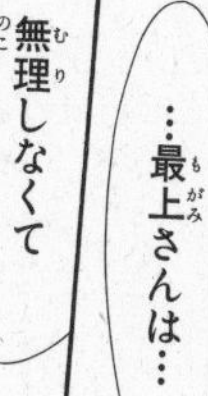
…最上さんは…

無理しなくて残していいよ
——って

敦賀さんは
言ってくれたけど

何言ってるんですか?

非常事態で
心がくじけそうな時
側に居る者同士で
はげまし合わないと
生き残れないん
ですよ!?

できなかった――
傍観なんて

何かと闘ってるみたいに
だって

敦賀さんが
食べるから――

ACT.168 バイオレンス ミッション フェーズ10.5／おわり

スキップ・ビート!

ACT.169　バイオレンス ミッション フェーズ11

コレは
お前だ
ドサドサ
バサバサ

クオン
バサバサ
バサバサ

そいつはチキン
お前の身に巣喰う弱い部分のお前だって言ってんだぞっ

大きくなれよブライアン
育てるな!!
名前もつけるな!!
うっかりそれ以上でかくなったらどうする!!
そんなサイズでも もう立派な大人の雄鶏なのに!!
コッコッ

お前がそんな風に優し…情けないから奴らがどんどんつけ上がるんだ

…武道は人を傷つけるものじゃないって父さんと師範が…

どつき合えばあんな奴らお前の敵じゃないだろうってのに

あーもー!!わかってるけどなっ

お前が何か問題起こしたら親父と母親の迷惑になるって事はっ
それが嫌で何に対してもお前が黙って耐え忍んでるって事も
けどな
それだと今にお前が潰れちまうだろ
いいのかお前
このまま芝居ができなくなっても
コツ
コツ
このまま
自分の生きていける場所を奪われ続けても

ミシミシ……
コッ
コッ
…食べる……

CHICKEN
NUGGET
…って
誰がこんなの買って来いって言ったっ
…いいじゃないか この際 鶏なら なんだって
良くないっ
ブライアンご存命
コッコッ

言っただろっ

お前の手でひねり潰して煮るなり焼くなりと欲望のままに『征服』する事に意味があるんだ

…わかった…

出来上がってる物じゃ意味ないんだよっ

…鶏肉買って来て欲望のままに『征服』する…

…何だコレ…
石炭…？
ライスと野菜とエビと鶏肉を炒めて卵で包む とてもおいしい料理『オムライス』だ
父さんが何度か作ってくれた
へー…
とてもうまそうには見えないけどな…
父さんが作ってた通りに真似して作った
見た目は悪いけどおいしいはずだ
ゾリッ
有り得ない音

はぐ
カリコンッ
あっ コラッ
待てっ
捨てるなっ
…マズイ…
『マズイ』？
どうして…オレは父さんの作ってたとおりに…
それは確か日本語での『この世のモノとも思えんクソな味』という意味だったな
良い事じゃないか
敵が強敵であればある程征服のし甲斐があるってもんだ

思うんだけど

コレを腹に入れてしまったら結局 俺の血肉になって

俺の体内から『チキン野郎』は無くならないんじゃないのか

ああ

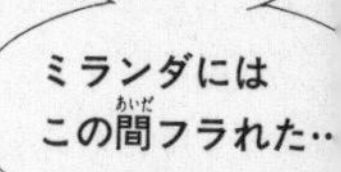
……
ミランダには
この間フラれた…
魔法をかけて
もらえる相手が
今居ない……
なに？ お前
またフラれたのか？
前のロレインの時より
早いだろ

お前ちゃんとやる事
やってんだろうな
まさか そんな
所までチキン
なんじゃ……
…
あんまり…
ソッチに対して
不満をぶつけ
られる事は…
…ないんだけど…
なんでかフラれる…
しょんぼり…
…
…しょうがない
奴だな…

じゃあ…今回だけ
特別だ
俺の家に古くから
伝わる秘密の
魔法をかけてやる
有り難く思えよ

今までティナにしか
教えてないし
ティナ以外の奴にして
やった事ないんだ
からな
ガチャ

おい その料理
上にぶっかけると
したら何が
合うんだ
…トマト
ケチャップ
おっしゃ

コポンッ

にゅ
——幸運よ
再び
さらなる幸運を
連れて
クオンの元へ
訪れよ
スル
スル
いつの日も
クオンが
永遠に
幸福である
ために——

キュ…
SECTION

くったり……
瀕死

お迎え
225~
224~
死のカウントダウン

つ…っ敦賀さん……っ
しっかりして下さい
あのう
頂いた消化剤
敦賀さんの分も
持ってきましたから
210~

飲んで下さい
…
ふるっ
…飲みたくないんですか…?
……どうして…?
辛いはずなのに――……
……
…自力…で
…消化
する……

しないと
『負ける』

気がする──……
……

…わかりました
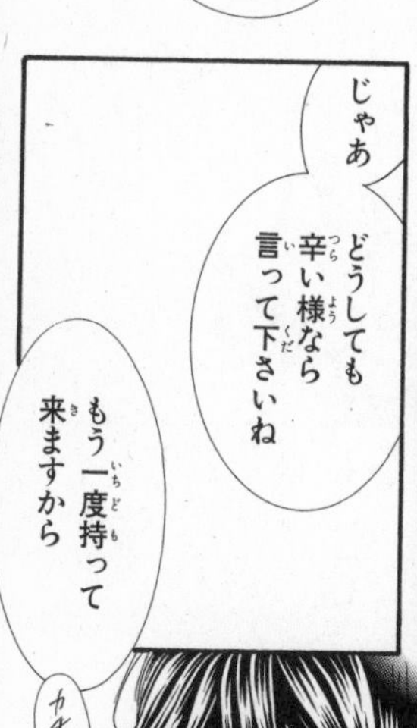
じゃあ
どうしても辛い様なら言って下さいね
もう一度持って来ますから
カチャ

カチャン
カチャ
…あ…

…いいよ…
最上さん…
おいといて…
これくらいやらせて下さい
作ってもらったのに 後片付けまでさせてもらえないんじゃ私
本当に何のためにお邪魔したのかわからないじゃないですか
大義名分
私にください
…
…ありがとう…

じゃあ…お言葉に甘えて――…
おらおらおら――っそれでも死神か――っ
死する覚悟でかかって来んか――いっ
怒
怒
怒
袋叩き
じゃ――…
カチャ
カチャ
カチャ
カチャ
『験担ぎ』
…みたいなものをしてるのかな…
カチャ
カチャ
…やっぱり……
…
敦賀さん…
たまにスポーツ選手とかやる事あるって聞くよね…
試合の前日にビーフステーキとトンカツ一緒に食べて『敵に勝つ』とか…
ぱしゃ
ぱしゃ

敦賀さんが作った『チキンオムライス』
いえ… サブメインにエビも入ってたけど…
…『チキン』って…
『弱虫』とか『臆病者』とか
キュ
いう意味があるよね……
でも敦賀さんは私と違って
キュ…
——…もしかしたら
…って
思った
そんな事はないのかなって
だけど

あんな風になった
後だもの
『怖い』と
カチャン
思うのかもしれない
たとえ敦賀さんでも――
…怖くて…
躊躇いが生まれるかもしれない…
…私なら…
…怖い…
もう一度
カーアクションを演る事に――…

何 簡単な事だ

――さすがに

『魔法』だとか
思ってないけどな
――…

わかってるけど

あの子が
傍に居ると

勢いが
欲しかった
――…

リックの存在を
忘れそうだと

怯える自分

だけど

自分の闇に翻弄されない
ためには

あの子が必要で

それでも

自分の生きたいと
思う道を
突き進める

躊躇わない
勢いと

仕事を全うしたい——

B・Jを

それが

今の俺が望む
最も揺ぎない
クリアな気持ち

それに向かって突き進むには

ゼンリョクで
たたかう…!!
じぶんの
かのうせいを
しんじて…!!
可能性は
無限
なんだから
自分で

限界を決めては
いけないと思います。
敦賀さん
はた

え…？
し
お休み中起こしてはいけないかもと思ったのですが
大事なお話があるので心を鬼にして声をかけさせて頂きました
すみません…
いや…大丈夫だよ…
寝てはなかったから…
えっ？あ
そうでしたか
よかった
…それで…大事な話って……？
…あ…
正直送り主の敦賀さんにこんな事…
するのはいかがなものかと思うのですが…
…え…
あの…
えっと
ですね…
心の持ちようでは解決できない事ってあるじゃないですか
私もそういうのを魔法の力で数々助けてもらっているので…っ
そうそう
敦賀さんにはバッサリ否定されましたけど
？
でも

この様なわたくしめが他人様に
『ナツ』になると大人っぽいとか美人とか奇跡の言葉をもらえる事とか……っ
ああ
プリンセスローザの話？
だって本当に違うから。
バ
ザ
魔法じゃないって絶対に。
バッサリ
…
信じてもらうには
まず体験ですよね…
シャラ…

プリンセスローザ様が傍に居ると
負ける気がしないんです
どんなに弱気になって
不可能に思える事も
可能にしてくれるんです
惚れた女に
魔法をかけてもらうだけ
だから
敦賀さんにもできるはずです
——あなたはできる

もしまた何かトラブルに遭っても
今度は勝てます
絶対 勝てる
…騙されたと思って…
…一緒に
居てみませんか…？

あの子は御守だ
最強のな

――そうだね――…
！
…居ようか
一緒に――
ACT.169 バイオレンス ミッション フェーズ11／おわり

——決して

誰にも
開けられない
様にできて
いる

その昔
神様が作った
その箱は

幾つも
幾つも
鍵をかけられ

それでも
そこに
存在していた

——それは

胸の奥の

ずっと奥——

スキップ・ビート!
ACT.170 バイオレンス ミッション
フェーズ12

神秘!!
金の砂丘とピラミッドの旅!!

プラス宿泊先は豪華三ツ星ホテル!!
しかもペアでご招待!!

却下です。
ポクポク
ペラリ
何故だ!!

そんなの持って行かせて もし主役の百瀬さんや他の先輩俳優より豪華だったら どうするんです
いや絶対豪華でしょ
豪華三ツ星ホテルとかついてんだから
…うぬ〜〜〜……
最上君にはもう ちゃんとウチで『qsqゲーム機』用意してありますから
ご心配なく
ちぇー
…なら蓮は？
それこそ心配いらんでしょ 最上君の様に初めて経験する未成年じゃないんだし
ドラマの打ち上げパーティーの『ビンゴゲーム』なんて
あっ
そーか
そういえば
『D・Mには役者としての新天地も築かせてもらったし 俺に用意させてもらえませんか？』
とか蓮が言って来たって松島君が自慢してましたよ
大分前っ
それこそ『海外旅行にしましょうか』とか言ってたらしいです
ふーーーん
なんだ もっと安っぽいものだったら代えさせようと思ったのに
エジプト旅行と

…ならまあ
しょーが
ねーな
くるり
コイツは俺が
個人的に
何とかするか
社長
パーティー会場へ
ゲリラ参加しないで
下さいよ。
ピタッ
…失礼な…
ゲリラ参加とか
する訳ねーだろ
どうせあなたの事だから
会場を勝手に砂漠にする
くらい平気でするんでしょ？
ピラミッドもスフィンクスも
ラクダもセットして
失礼な
それは
良かった
社長が行くと
絶対趣旨が
変わります
から
『DARK MOON』の
打ち上げパーティー
そっちのけで
ローリィ宝田プレゼンツ
常識なんて打っちゃれ
パーティーとかに
そんな非常識な
事するか

もっと慎ましやかに
クレオパトラ※と
ツタンカーメン※を供に
こっそり覗いて来る
だけだ
※超美形外国人によるコスプレ
…やっぱり行く気
だったんじゃ
ないですか
それのどこがこっそりなんですか
コツ
コツ
コツ
コツ
…ん?
あら
あの無駄に姿勢の
良い後ろ姿は…

…ちょ…
…？

…ちょ…
あんた…？
ミとミ
どう…
何こんな所で一人ヘコんでんの？
ビクッ
見苦しくて思わず声かけてしまったじゃない
!!!
…芸能人が背中丸めて歩かないって私前にも…
…も…もしかして…泣いていたり…
……っ
…モー子さん…
…え？
!!??
くる

モー子さぁん!!
ぱぁーっ
ー!!!
会いたかったぁああぁ〜〜〜〜!!
わぁーっ
わー
〜〜ーっっ
ス

ストーーップ!!!!
ピタ

え？

ポテン
ヒドイ…モー子さんどうして止めるの……？
どうせならいつもみたいにスキンシップで止めてよぉ
ただの突っ張りをスキンシップとか言わない!!
止めたくもなるっての!!
そんな顔して駆け寄って来られたら!!

え？。
…そんな顔って…？
私そんなに欲望まみれの顔してた？
？？
今まさにさらしてるその顔よ!!
え？
これ？
…その顔
私…知ってるわ…
前にも一度見た覚えがある
毒にも害にもならなさそうな その顔見た直後 私は血も凍る様な恐怖を味わった…
あれはそう
あんたが私を無理矢理ラブミー部に入れようと画策してた時よ!!
ラブミー部はいいトコヨ。
楽しいワヨ。
絶対お得ヨ。
一片の曇りなき営業スマイル
そして その後の恐怖
…あんた……っ

今度は一体何を
企んでるの!?
ええ…!?
べ…別に私何も
企んでなんか
ないよぉ
ウソおっしゃい!!
私は騙され
ないわよ!!
絶対 何か隠してる
はずなんだから!!
ほ…本当に
私何も…
正直に白状
しないと
来年の今日まで口利かないわよ!!!
パキ
官業仮面

そんな事なの？

さっきだって後ろ姿でこの世の終わりみたいな顔してるってわかる程うなだれてたクセに

今夜パーティーに着ていける服が無いってそれだけで？
普通そこまで絶望的になる？
なんか激しく納得できないんだけど
──…
──スケールが…
異例なくらい豪華になるんだって…
DARK MOON元々話題作だし大型ドラマだし
最初から大きな打ち上げパーティーにはするつもりだったらしいんだけど
先々週の放送で
ついに『月籠り』の視聴率超え達成したのも相俟って
お祝い熱が上がるままにどんどんスケールが大きくなってってっちゃったたって
……

何やらテレビカメラも入る上
出演者や出演者以外のその他の皆様も会場に合わせてそれは気合いの入ったドレスアップをされるそうで…
雰囲気はさながら日本アカデミー賞の様になるはずだとか……
…それは…確かに破格のスケールね…
…きっと私だけだと思うのね…
そんなきらびやかな場所へ
このまま出る気
ふふふ…
着の身着のまま出ようとしてるの……
…いえ…その前に…無事に出席できるかどうか…
…なんだかすごく想像できるの
入口で…
出演者と信じてもらえなくて入れてもらえない私……
私っ 未緒役の京子です——っ
嘘をつくな——っ顔も存在感もまるで違うではないか——!!
バカにしているのか!!
いいかげんにしないと警察へ突き出すぞ!!
ガードマン
…っ

…な…成程…
これはかなりブルーになるわね
…それならあんた

今回も事務所で衣装借りればいいじゃない
前に『ナツ』の衣装も借りたんでしょ

……
…え…
や…でも…
そう度々頼らせてもらうのもちょっとどうなのかしらと…
何言ってんのよ事務所管理の衣装は事務所の役者やタレントのためにあるんでしょうが
何遠慮する必要があるのよ

打ち上げだって仕事の一環なんだし
事務所だって快く貸してくれるでしょ
〰〰〰…

…そう…
…だよね…
…やっぱり…
…じゃあ…今回も…
ガッカリ…
社長さんにお願いしてみる…
……
…何よ…
あんたらしくないわね
あんたそういうパーティーとか嫌いじゃないでしょ？
他人との無駄なつき合いも馴れ合いも嫌いな私と違って
なんでそんなに不承不承なのよ
もしかしてあんた
パーティー自体出るのが嫌なの？

…そ…
…んな…
まさか
どうして
私が？
むぱあっ
そんな事ーーっ
ある訳無い
無いっ
話に聞いてて
すごく楽しみに
してたのにっ
初めての打ち上げが
そんなビッグスケールで
ちょっと緊張はするけどねっ
キャッキャッ
…

あっと
そうと決まれば早速椹さんか社長さんの所へ行って来なくちゃ!!
カチャン
パーティーの事また報告するからっ
話聞いてくれてありがとう♡
ごめんねっモー子さんっ
準備しなくちゃいけなくなったから先行くねっ
カチャン
じゃあ
またね♡
パタンッ
………
…何…?
今の不自然なタイミングでの営業仮面…
…

もしかして
あんた
パーティー自体
出るのが嫌
なの？
え？
もしかして
図星なの？
…え…？
何で？

――ダメだな…
つい…本音が態度にこぼれ出てしまうなんて……
私…
演技者失格じゃない……
――もしかして

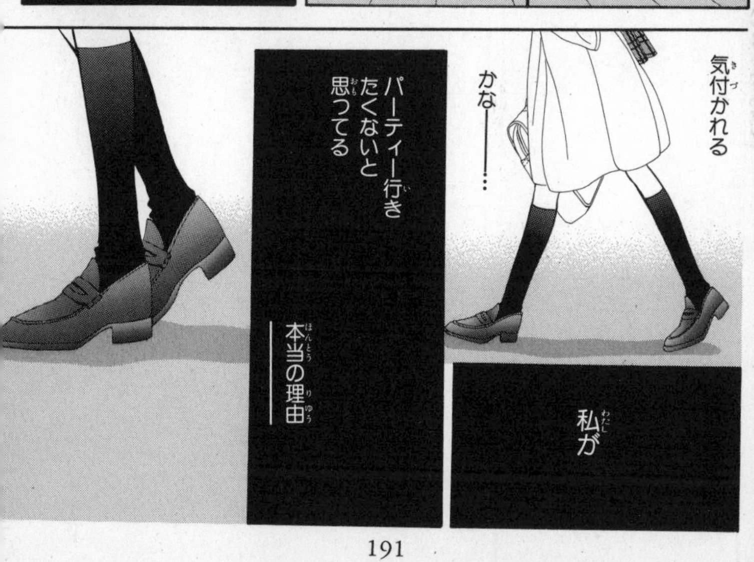
気付かれるかな――…
私が
パーティー行きたくないと思ってる
本当の理由――

……
──…本当は
衣装の事なんて
悩んでなかった──…
少し前に椹さんに
相談したら
制服でも
おかしくないって
言われてたし
むしろ『制服』は
分相応で
恥ずかしいどころか
ホッとした
──でも
他に
適当な理由が
思いつかなかった
から──
パーティーに見合う
衣装が無い
そういう
事に
しておいた

だって
誰にも
気付かれたくない
本当の
理由なんて
——…あぁ——…
——本当だ——…

すごく
勇気が
湧いてくるね――……

──あの時
嫌な
音がした

胸の奥の

ずっと奥

二度と開かない
様に

自分で
幾つも幾つも
鍵をかけた

封印した
はずの

あの箱の

——そう

遠くない過去に
味わった

この感情には

覚えがある——

ACT.170 バイオレンス ミッション フェーズ12／おわり

《収録作品メモ》
●ACT.164　バイオレンス ミッション フェーズ8　平成22年　花とゆめ21号掲載
●ACT.165　バイオレンス ミッション フェーズ9　平成22年　花とゆめ22号掲載
●ACT.166　バイオレンス ミッション フェーズ9.5　平成22年　花とゆめ23号掲載
●ACT.167　バイオレンス ミッション フェーズ10　平成23年　花とゆめ1号掲載
●ACT.168　バイオレンス ミッション フェーズ10.5　平成23年　花とゆめ2号掲載
●ACT.169　バイオレンス ミッション フェーズ11　平成23年　花とゆめ3号掲載
●ACT.170　バイオレンス ミッション フェーズ12　平成23年　花とゆめ5号掲載

special thanks
オムライス制作／松下小夏

花とゆめCOMICS
スキップ・ビート！㉘

2011年6月25日　第1刷発行

著者　仲村佳樹

発行人　藤平　光
発行所　株式会社　白泉社
〒101-0063
東京都千代田区神田淡路町2－2－2
電話・編集 03(3526)8025
販売 03(3526)8010
制作 03(3526)8020
印刷所　共同印刷株式会社

ISBN978-4-592-18618-2
Printed in Japan　HAKUSENSHA

次巻予告
>> COMING NEXT

キョーコの胸の奥にしまわれた箱

本当に開いてしまうの…？

HC（コミックス）「スキップ・ビート!」㉙
2011年秋頃発売予定!!